Au Royaume des Adjectifs

© 1976 Walt Disney Productions
Version originale conçue et
réalisée par Vincent H. Jefferds
© 1979 Livre Loisirs Ltée

Adaptation française :
Lucie Huyghues Despointes
Nadine Bondoux

ISBN : 2-245-00829-4
Imprimé au Canada

un soleil
radieux

un gros ballon

un chien
heureux

une laisse
solide

de grosses
cacahouètes croquantes

2

Walt Disney présente

Au Royaume des Adjectifs

Livre-Loisirs Ltée

des habits neufs

un sourire amical

une agréable promenade

un parapluie
fermé

3

lentement

prudemment

habilement

Note aux parents

Ce volume présente les mots qui « décrivent », qui ajoutent aux noms et aux verbes une qualité, une précision.

Chaque thème est annoncé ici par une phrase interrogative : « Quel temps fait-il? », « Comment vois-tu les personnages? », « Quelle taille? », « Quelle couleur? ». Le développement s'étend sur plusieurs pages dans lesquelles les mots-clés sont principalement des adjectifs, mais parfois des adverbes ou des noms. Autour de ces mots, les images sont tout aussi parlantes que les phrases. Par temps « pluvieux » la rue est inondée, les gouttières débordent, Mickey abrite Minnie sous son parapluie, Donald a les pieds trempés, les petits chiens pataugent dans les flaques. Par temps « froid » Dingo est frigorifié; par temps « chaud » Baloo transpire à grosses gouttes.

gracieusement

légèrement

gaiement

précipitamment

silencieusement

joyeusement

Les adjectifs « souffrant », « triste » mettent en scène Grand Gourou portant une potion à Winnie l'Ourson, fiévreux, qui garde le lit avec ses amis, tandis que Bourriquet, versant des larmes, est l'image même de la tristesse. Le bruit « assourdissant » est illustré par l'avion à réaction, la musique pop, le klaxon des voitures; le son « musical » par le tintement des grelots . . .

Ainsi la progression se fait sans effort, les associations d'idées vont plus loin. Les héros favoris ont acquis une personnalité et se comportent en conséquence : Dingo est naïf, il agit maladroitement; Robin des Bois, audacieux attaque hardiment; Cendrillon, douce et belle, marche gracieusement . . .

Le vocabulaire de l'enfant s'est peu à peu enrichi de nombreux adjectifs et adverbes qu'il utilisera tout naturellement dans la vie courante.

facilement

sournoisement

délicatement

paresseusement

Sommaire

doucement

fièrement

vigoureusement

faiblement

Quel temps
fait-il aujourd'hui?

le baromètre indique
la presion atmosphérique

la manche à l'air
indique avec précision
la direction du vent

le varech indique
si le temps
est humide ou sec

en regardant par la fenêtre
on voit s'il fait beau

le doigt mouillé
indique le sens du vent

horloge météorologique
à personnages

coucher
de soleil

N E

O S

girouette

indicateur
de vitesse
de vent

bocal
servant
à mesurer
la pluie

bulletin météorologique télévisé

Ensoleillé

le Morse
a chaud

le soleil brille

le ciel est bleu

Dingo
rit aux éclats

les baigneurs barbotent

le rocher
est tiède

la mer
est
calme

l'eau
est froide

Pinocchio
est heureux

le sable
est doré

le coquillage
est brillant

Minnie
est joyeuse

le chien est content

un ballon
rouge

10

Mickey est gai

Dumbo,
l'éléphant
volant

un ciel
d'orage

un ballon
dans les airs

un petit
nuage
blanc

un nuage gris

un gros nuage

des nuages floconneux

Wendy
est
hors
d'haleine

un nuage
bas

un nuage
léger

un jour
de grand vent

Nuageux

Peter Pan fait de la voltige

11

Brumeux

des bois silencieux

Winnie l'Ourson s'est perdu

un brouillard épais

une nappe de brume

des ombres mystérieuses

des pas assourdis

une flamme vacillante

Simplet a peur

une toile d'araignée couverte de rosée

une faible lueu

un soleil ardent

Chaud

une maison surchauffée

la jungle
est étouffante

Mowgli
est moite
de chaleur

Kaa transpire
à grosses gouttes

Colonel Hathi a les pieds brûlants

Shere Khan
est écrasé
de chaleur

Baloo
est tout en sueur

Louie,
le singe,
est en nage

le chien a chaud

Tic et Tac sont à l'ombre

15

Comment les vois-tu?

effronté

éveillé

joyeux

Heureux...

gai

heureux

en pleine forme

décontracté

En pleine forme

joyeux

fort

Winnie l'Ourson
réfléchit

Bourriquet
est pensif

Maître Hibou
est solennel

Tigrou médite

Jean-Christophe
est sévère

Coco-Lapin
est hésitant

Pensif . . . sévère

Pan-Pan
est craintif

Winnie l'Ourson est timide

les oiseaux
sont effarouchés

Maître Hibou est suffisant

Tigrou fait l'important

Pluto
est fier de lui

Winnie l'Ourson
est content de lui

Timide . . . assuré

19

Winnie et Porcinet,
tout exités, découvrent un trésor

Excité . . . malin

Winnie, malin,
se sauve avec la glace

Tigrou, rusé,
s'empare
de la confiture

Coco-Lapin, espiègle,
emporte les gâteaux

Fier ... modeste

**Winnie l'Ourson
est fier d'être champion**

**Maître Hibou
est rempli d'orgueil**

Grignotin salue fièrement

**Coco-Lapin
est humble**

**Petit Gourou
est
sans
prétention**

Porcinet est modeste

21

Souffrant . . . triste

Tigrou
à l'air piteux

Winnie l'Ourson
a de la fièvre

Coco-Lapin
a mal au cœur

Bourriquet pleure

Jean-Christophe
broie du noir

Porcinet est maussade

Comment
sont-ils bâtis?

des cheveux rares

une figure large

un long cou

Mince . . . gros

des bras maigres

des doigts fins

des jambes

maigres et noueuses

de grosses jambes courtes

des pieds plats

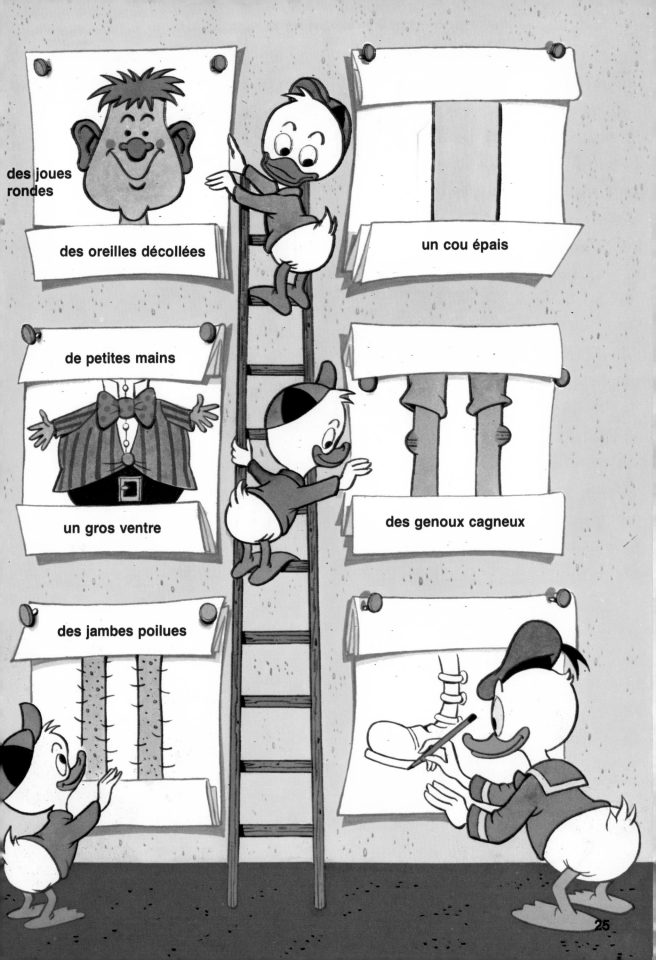

des joues rondes

des oreilles décollées

un cou épais

de petites mains

un gros ventre

des genoux cagneux

des jambes poilues

25

Deux individus bizarres

un cou long et mince

de longs doigts

des bras maigres

des chevilles épaisses

des pieds plats

26

des joues rondes

personne n'est fait comme ça!

un cou épais

des genoux cagneux

des jambes poilues

de grands pieds

27

Qui es-tu?

un galant homme

un facteur courageux

Je voudrais être

un astronaute intrépide

un boxeur énergique

un pirate audacieux

un héros téméraire

une personne
sympathique

un ami attentionné

**Je pourrais
être aussi . . .**

un conducteur
aimable

un piéton charitable

un bon père de famille

un oncle généreux

31

un cruel
garde-chiourme

un mauvais
plaisant

une personne
antipathique

Mais je ne voudrais pas être . . .

un oncle égoïste

un voleur rusé

un grincheux

33

Qui est . . .

Madame Mim

La Belle au Bois Dorman...

le plus beau?

Bambi

Jiminy Criquet

le plus gros?

Crocodile

Chitah, le léopard

le plus rapide?

Anastasie

le terrible garde

Madame Hathi,
l'éléphante

Cléo,
le poisson rouge

la tortue

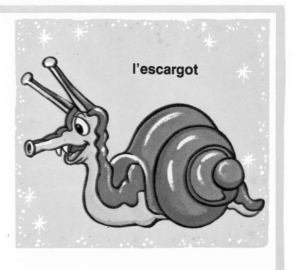

l'escargot

35

Qu'est-ce que ça sent?

il ne
s'attendait pas
à cette sorte
d'odeur!

un parfum de fleurs

une odeur de poussière

une odeur de renfermé

une odeur de moisi

une odeur de laine

37

Odeurs mauvaises . . . ou bonnes

une fumée âcre

une odeur
d'épices

une odeur
de brûlé

une odeur
irrespirable

une odeur
de vinaigre

la bonne odeur
du pain frais

une odeur sucré

un flacon de sels

un relent de poubelle

une odeur
de fumier

une odeur
de plastique

une odeur
de caoutchouc

une mauvaise
odeur

une odeur de café

une odeur
de poisson

39

Odeurs douces . . . ou fortes

une odeur
de peinture fraîche

un parfum délicieux

un fum[et]
de din[de]
rôtie

une bonne odeur
de dessert

un délicat
parfum de fleurs

l'arôme fruité d'un gâteau

une odeur
de caoutchouc

un fromage
qui sent fort

une odeur
de bois ciré

41

Quels vêtements portent-ils?

excentriques

démodés

luxueux

voyants

sophistiqués

modernes

42

élégants

à carreaux

lâches

rayés

étroits

imprimés

unis

43

Classique . . . fantaisie

un ensemble
écossais

une veste
à carreaux

un costume
démodé

44

un gros chandail

un pull-over
et une veste assortis

un chapeau coquet

un gilet
voyant

un complet classique

45

Élégant ... négligé

une chemise
et un bonnet voyants

une lourde
redingote

des manchettes de dentelle

un redingote d'officier

un élégant gilet

une tunique légère

un bonnet déformé

un tee-shirt troué

UN CADEAU DE PETER PAN

des sandales

47

un béret de marin

un manteau
bordé
de fourrure

un col
dur

un tee-shirt rayé

un chapeau
haut
de forme

un chapeau melon

un habit

des blazers rayés

des canotiers

48

Sport . . . habillé

des vêtements
de sport

n maillot de bain

une combinaison
de plongée

un noeud papillon

des gilets fantaisie

une queue de pie

un chapeau haut de forme

Collier ... ceinture ... cravate

un cotillon
de papier

un manteau de fourrure

un chapeau
haut
de forme

un cache-nez

un colli
perle

un noeud papillon

un complet
élégant

un gilet

BON
ANNIVERSAIR
TIGROU

50

une casquette
à carreaux

un col roulé

un bonnet
à pompon

une ceinture

un costume
excentrique

un tricot

BON ANNIVERSAIRE WINNIE

51

un costume
de fée

Tablier...

une casquette

un bonnet

un chandail

une écharpe

un pardessus

des moufles

des chaussures de sport

le costume
de Peter Pan

un tablie

une robe de chambre

un pyjama

chemise . . . chapeau

une grenouillère

des souliers

un chapeau
haut de forme

une chemise de nuit

les lunettes

une cravate

une jolie robe

un parapluie

un chapeau de pluie

un imperméable

des bottes

53

UN LABYRINTHE

**Peux-tu aider Winnie l'Ourson
Jean-Christophe
et leurs amis
à trouver le chemin
qui les conduira au goûter?**

Quelle forme?

carrée

ronde

triangulaire

ovale

rectangulaire

Carré

un tableau carré

un panneau
divisé en carrés

une fenêtre carrée

une toque carrée

un tableau noir
carré

une maison
carrée

un drapeau
carré

un jeu
de cubes

une table
carrée

une nappe
à carreaux

une boîte carrée

des morceaux de sucre

57

un fer à cheval

un toit conique

un petit chapeau pointu

une lance tordue

un crochet

un bonnet au bout recourbé

une toupie conique

58

un éteignoir conique

une applique courbe

un grand chapeau conique

une pipe recourbée

des doigts repliés

Courbe . . . conique

59

Rectangulaire . . . triangulaire

une bordure
de triangles

un toit triangulaire

des fenêtres triangulaires

une équerre

une étiquette
rectangulaire

une étiquette
triangulaire

une truelle triangulaire

des chaussures à bout pointu

des marches rectangulaires

des pavés rectangulaires

des jetons rectangulaires et triangulaires

livre rectangulaire

une barbe en pointe

une boîte rectangulaire

des fenêtres rectangulaires

des dalles rectangulaires

61

Rond . . . en spirale

une bougie torsadée

la pleine lune

des motifs ronds

une boule

Merlin l'enchanteur

des pieds torsadés

une spirale

un cercle vert

une canne torsadée

62

une roue

une pièce ronde

des trous ronds

un cordage tressé

un globe terrestre

rveau

une boule de cristal

un ressort en spirale

des pieds de table torsadés

une balle de tennis

Tordu . . . écrasé

une ficelle tressée

un drap tordu

une feuille froissée

un chapeau qui s'entorti[...]

une manche qui s'enroule autour du bras

un col de bouteille torsadé

s'écraser les doigts de pied

un chapeau aplati

un ballon crevé

une plume déformée

un hibou coincé

une carte tordue

s raisins piétinés

une banane écrasée

un tapis replié

une orange éclatée

Ovale ... cubique

un cube

des dessins cubiques

un sceptre
à tête cubique

un ovale

des dessins ovales

un jeu de cubes

66

une forme ovale

une forme cubique

un oeuf

des pieds cubiques

des dragées

un motif ovale

une boîte cubique

des morceaux de sucre

Combien y en a-t-il?

1 et **2**

un trou

deux yeux

un nez

une bouche

deux oreil[

deux bras

deux assiettes

deux mains

une veste rouge

deux jambes

deux oranges

un panier de pique-nique

deux sandwiches

une surprise pour Mickey!

une nappe

une pomme

deux timbales

une souris

deux petits oiseaux

deux nuages

une boulette de papier

deux chapeaux

une fronde

un soleil

un arbre

deux neveux espiègles

deux champignons

deux rochers

3 4 et 5

quatre membres de la Cour

quatre festons

trois marches

cinq arcs
et cinq carquois

quatre ballons

trois drapeaux

cinq fanions

trois haches

trois rayures

cinq rayures

trois gardes

cinq cibles

trois flèches vertes

quatre flèches violettes

quatres cercles

cinq flèches jaunes

71

6

7

une fenêtre
à huit carreaux

une fenêtre
à six carreaux

sept nains

six savonnettes

six bonnets

72

8

six vitres rondes

sept piquets
de clôture

six bûches

huit hachettes

huit lapins

huit paires d'oreilles

9 10 et 11

onze
sandwiches

onze
feuilles de laitue

dix boîtes de conserves

onze chiens

neuf
cartes à jouer

un chien
à dix taches

dix bouteilles

neuf de trèfle

neuf étiquettes

74

dix tableaux

dix doigts

onze trous
derrière le poste
de télévision

un chien
à neuf taches

dix livres

douze lianes

douze singes

douze briques

douze
noix de coco

douze
bananes

Quelle taille?

un bras énorme

une grande main

des plantes gigantesques

des yeux immenses

Alice, la géante

un coude démesuré

de gros nœuds-papillon

des barreaux serrés

une grosse moustache

des fleurettes

de petites fleurs

un gros ventre

un sentier étroit

de tout petits pieds

un gros rocher

un serpent
interminable

de petites grenouilles

un petit papillon

Grand . . . petit

une minuscule
libellule

un gros nez

un grand nénuphar

de large rides
sur l'eau

un arbre énorme

de grandes fleurs

de petites fleurs

de petits champignons

de grosses racines

le petit Mowgli

un caneton

de petites rides

le gros Baloo

de grands pieds

un petit poisson

de grandes feuilles

79

Large ... étroit

un large tronc

une bou
grande ouv

une maigre carotte

un vaste tablier

une mince
cordelette

80

une mince branche

des paupières
mi-closes

une épée
effilée

une écharpe
étroite

une brèche
étroite

des manches serrées

une ceinture
fine

une vaste clairière

large
ur de taille

des manches amples

un étroit sentier

81

un bec minuscule

des pattes menues

une énorm[e] pièce

un balai gigantesque

un tout petit chapeau

un petit bouton

une très grosse fleur

un énorme bouton

des pieds immenses

82

Énorme... minuscule

une petite plume

un énorme bec

une plume gigantesque

un vaste chapeau

de petites oreilles

des yeux immenses

un nez démesuré

une brosse trop petite

de grandes oreilles

un baquet spacieux

une bulle de savon minuscule

un très gros savon

un nez fripon

un tout petit savon

un petit baquet

83

Remettre les lettres dans l'ordre pour préciser la manière dont les personnages agissent.

1. glisser
polmtensue

2. descendre
mtengerelé

3. saluer
tpieolm

4. se balancer
tgeaemin

5. onduler
miraeusntegce

84

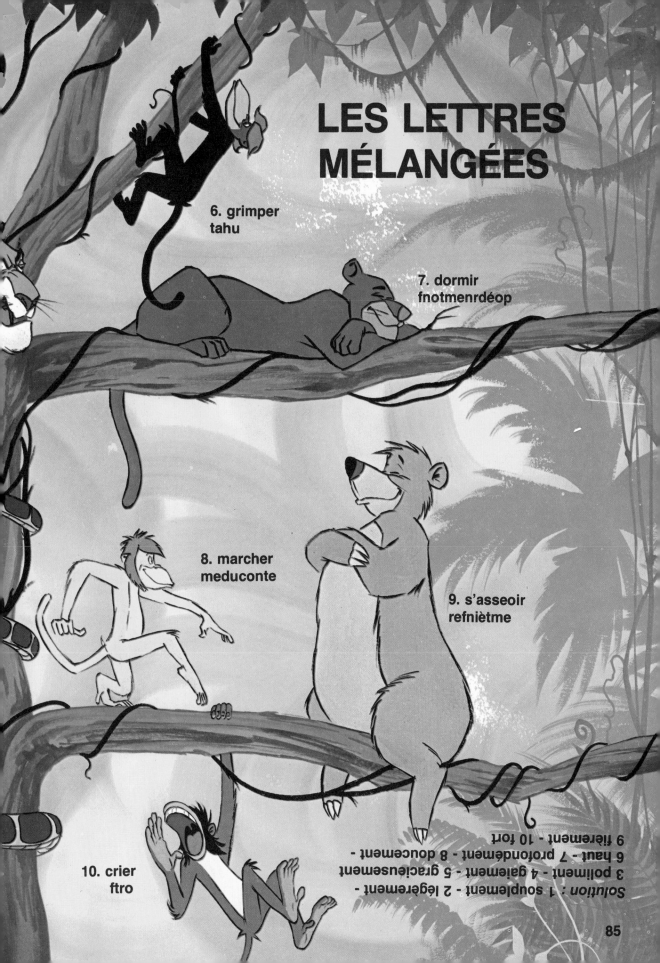

LES LETTRES MÉLANGÉES

6. grimper
tahu

7. dormir
fnotmenrdéop

8. marcher
meduconte

9. s'asseoir
refniètme

10. crier
ftro

Comment ça marche-t-il?

un train
à vapeur

des fils
électriques

un jouet mécanique

le freinage (comment s'arrêter)

une poulie

la carotte
et le bâton

parachute

un moulin
à vent

faire du stop

un tracteur diesel

l'énergie humaine

87

Essence ... gas-oil ... pédale

des ailes

la voiture du laitier

des patins
à roulettes

une bicyclette

une voitu
sans mo

une diligence

un camion
à moteur diesel

.. que l'on pousse
la main

une trottinette

un kart
à essence

A la machine... à la main

un avion à réaction

une fusée

des battements d'oreilles

de l'air chaud

un hélicoptère

un bateau
à voiles

un bateau à vapeu

un bateau à rames

une automobile

une caméra

la force du poignet

une pompe à incendie

Quelle voix ont-ils?

autoritaire

émouva[nte]

désagréable

rauque

sonore

enrouée

timide

persuasive

douce

fière

93

Voix étouffée ... perçante

pousser
des cris
rauques

pousser
des cris
perçants

bougonner

chuchoter
à l'oreille

parler
calmement

grogner
de satisfaction

parler
d'une voix étouffée

marmonner

rugir

bafouiller

Voix douce . . . forte

voix basse

voix douce

voix claire

voix fausse

voix flûtée

voix avinée

voix expressive

voix haute

voix mélodieuse

voix forte

voix stridente

Reconnais-tu les choses au toucher?

des crayons bien taillés

de la laine douce

une balle ronde

des grains de sable

des cubes lisses

de la colle gluante

des clous pointus

Piquant . . . velu . . . mouillé

une queue touffue

une douche froide

les pieds
trempés

un cactus

un porc-épic

un chien
à poils
longs

une brosse
à cheveux

des pattes velues

99

Glissant, doux . . .
bosselé, inégal

une expression douce

du ciment frais

une route
mal pavée

une bosse
sur la tête

une flaque d'huile

es bosses douloureuses

une matraque
bosselée

un sourire doucereux

un chapeau
souple

un savon glissant

des cheveux
bien lissés

une fourrure
soyeuse

un coussin moelleux

es plumes légères

Graisseux, huileux

un poteau savonné

un moteur plein de graisse

un pot de graisse

une tache d'huile

une bougie qui fond

une crème de beauté onctueuse

102

Fourré, soyeux

e toque de fourrure

un écureuil
à la queue touffu

un pelage
soyeux

des oreilles velues

s souris
x longs poils

103

Rugueux, râpeux ... lisse ... collant

une ébauche grossière

du papier
tue-mouches

des pattes
engluées

des rochers rugueux

des cailloux polis

une surface lisse

une surface
inégale

du papier de verre râpeux

une lime

un poil
bien lissé

un rouleau
de papier collant

du tissu cloqué

une colle
adhésive

des mains gluantes

COLLE

105

Élastique ... rond ... plat

un cadran
d'horloge

un trampoline

un globe

un trou rond

des yeux en boules de loto

des boules
de billard

un ballon
de football

des vis
à tête
ronde

un disque

une règle soup

des pieds plats

un jeu
à ressort

une table de billard

un parquet bien uni

107

Coupant ... émoussé ...
pressé ... aplati

des crayons
pointus

un cray
épointé

une lame
aiguisée

une scie
tranchante

un tube de peinture écrasé

un lourd marteau

une éponge essorée

un ciseau coupant

un beau gâchis

un gros maillet

un bord tranchant

une orange pressée

de la glaise pétrie

109

Quelle couleur?

un ciel bleu

un béret orange

des oreilles noires

des gants blancs

la mer bleue

des taches de peinture rose

un pantalon bleu

un bidon gris

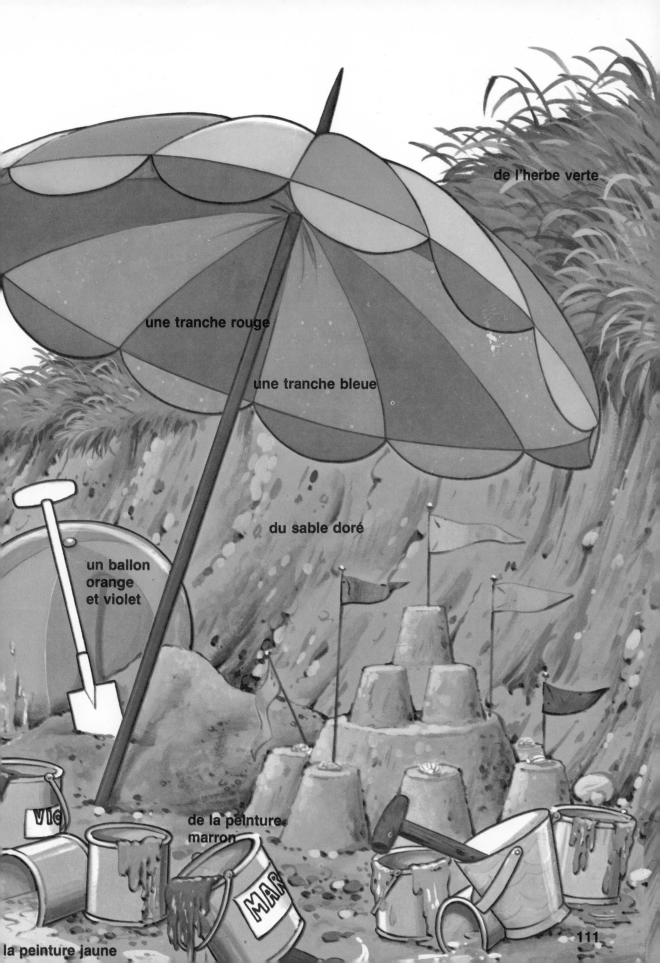

de l'herbe verte

une tranche rouge

une tranche bleue

du sable doré

un ballon orange et violet

de la peinture marron

la peinture jaune

Rouge

des nuages rouges

une tente rouge

un cheval rouge

de la viande rouge

des plumes
à bout rouge

des flammes
rouges et jaunes

un Peau-Rouge

un tambour rou

un cercle rouge

des prunes rouges

des melons jaunes

une robe rouge

des ceri
rouges

des mocassins rouges

Jaune

un soleil d'or

une tente jaune

un dessin jaune

du sable doré

un visage
rouge
de colère

des cheveux roux

des cheveux blonds

es citrons
jaunes

des bananes
jaunes

des combinaisons
jaunes

une guêpe
jaune et noire

un pamplemousse
jaune

une plume
rouge

des pommes
jaunes

une chemise de nuit
jaune

un tambour jaune

des ananas
jaunes

un nounours jaune

113

Bleu

des arbres bleutés

le ciel bleu

une mésange

des bougies bleu

des assiettes bleues

un nœud bleu

un pompon bleu

du « sucre rose »

du « sucre bleu »

un chapeau bleu

un pot bleu

un fanion bleu

une chemise bleue

une serviette bleue

des campanules

un tabouret bleu

une chaise bleue

114

Rose

des fleurs
de pommier

un pompon rose

un chapeau rose

un drapeau rose

un nez rosi

voir la vie
en rose

une serviette
rose

une chemise rose

des oreilles
roses

une nappe
rose

un tabouret rose

une chaise rose

des fleurs roses

115

des sapins
toujours verts

Vert

Orange

des oranges
sur un oranger

une haie
verte

des haricots verts

l'herbe verte

une robe
orange

vert
de jalousie

une étiquette orang

des laitues

un pantalon
vert

des citrouilles orange

1er PRIX

des choux verts

une courgette

des fleurs orange

116

Brun

des troncs
d'arbre bruns

une vache brune

un cheval brun

un chapeau
marron

un manteau
marron

une veste
orange

des carottes

une barrière
peinte
en marron

des pattes
orange

la terre brune

117

de la fumée noire

des plumes noires

de la suie

un corbeau

Noir

un nez noir

un châle violet

une ceinture noire

une veste noire

des chaussures noires

une chaîne et un boulet noirs

des mûr

Violet

des améthystes
(pierre violettes)

des prunes

une plume violette

une robe
violette

une flèche
violette

des vêtements
violets

un papillon violet

des violettes

119

Blanc

blanc . . . comme neige

une maison peinte en blanc

le blanc des yeu[x]

des moufles blanches

des journaux

des dents blanches

le drapeau blanc
(signal de paix)

du lait

pâle de frayeur

des souris blanc[hes]

des boules de neige

un ciel sans étoiles   des arbres noirs

Comment est la nuit?

des formes obscures

des coins sombres

Nuit noire

des rayons de lune étincelants

une lune argentée

des yeux brillants

des feuilles luisantes

Nuit de lune

Nuit d'épouvante

un château hanté

une chauve-souris

un loup
qui hurle

des formes
terrifiantes

des ombres
effrayantes

Nuit d'orage

une mer démontée

Nuit d'hiver

des glaçons

un ciel clair

un sol gelé

un chien qui grelotte

un air glacial

une pluie torrentielle

un ciel couvert

les rugissements du vent

des lames déferlantes

une lampe voilée

des formes
indistinctes

de faibles lumières

un tunnel obscur

Nuit de brouillard

des oiseaux
silencieux

un chien
endormi

des étoiles scintillantes

un air vif

une ville endormie

des ombres nettes

Nuit étoilée

des feuilles immobiles

Nuit calme

escalader

se dresser

courir

scintiller

tâter l'eau

126

TROUVER L'ADVERBE QUI CONVIENT

Choisissez dans la liste
l'adverbe qui précise
la manière d'agir
des personnages.
silencieusement
lumineusement
rapidement maladroitement
craintivement
sournoisement
doucement
majestueusement
avec admiration

contempler

glisser

Solution : escalader maladroitement - courir rapidement -
se dresser majestueusement - scintiller lumineusement -
tâter l'eau craintivement - voler silencieusement -
contempler avec admiration - épier sournoisement - glisser doucement

Comment font-ils les choses?

gloutonnement

bruyamment

soigneusement

délicatement

maladroitement

tranquillement

brusquement

avec soin

poliment

dangereusement

lentement

rapidement

gracieusement

doucement

129

joyeusement

gracieusement

bruyamment

lentement

131

Adroitement . . .

avec bonne volonté

gauchement

maladroitement

132   de travers

maladroitement

utilement

de mauvais gré

nerveusement

avec zèle   gaiement

proprement

133

jouer fort

chanter timidement

chanter bruyamment

chanter avec virtuosité

épier jalousement

135

Comment est ce bruit?

Assourdissant

franchir le mur du son

un orchestre
de musique pop

le fracas
des cymbales

les fenêtres
ébranlées

la pétarade
du pot
d'échappement

le son cuivré
des trompett

un pauvre piéton
assourdi

l'éclatement
d'un pneu

Musical

le son grêle du triangle

la Fée
Clochette

le carillon de la porte

les clochettes bleues
des campanules

un harnais
tintinnabulant

le grelot
avertisseur

137

des danseurs de claquettes

des cris de rage

la sirène de l'usine

ROUTE BARRÉE

le klaxon des autos

une querelle animée

un marteau piqueur assourdissant

des appels au secours

le rugissement des vagues

le vrombissement d'un canot à moteur

Bruyant

chanter juste

bon chef d'orchestre
harmonie

auvais chef
orchestre
cacophonie

siffler
juste

chanter faux

Harmonieux

jouer faux

siffler faux

139

le métronome

le tic-tac des pendules

Tic-Tac Sonnerie

le tic-tac
de la bombe

176-761

176-617

le tic-tac
de la montre

le sonneur
fait tinter
ses cloches

le téléphone
sonne

une sonnette
de bicyclette

la machine à vapeur
avance en grinçant

Bruit métallique...

le rouleau compresseur
a un grondement sourd

le boulet et la chaîne
s'entrechoquent

l'épée résonne
contre le bouclier

le hochet
fait un bruit
joyeux

la crécelle
tourne avec
un bruit sec

les boîtes
de fer-blanc
s'entrechoquent

les fausses dents cliquètent

bruit sec

les pièces tintent
dans la tirelire

141

Pétarade...

une détonation

la pétarade
du moteur

claquement...

le roulement
du tambour

taper du poing

taper du pied

le claquement
des castagnettes

tape...

le déclic
de la ceinture
de sécurité

claquer
des talons

Comment marchent-ils?

Fièrement

les soldats
défilent fièrement

le champion
est gonflé
de son importance

la reine
a une démarche altière

son équipier applaudit
avec orgueil

ses amis sourient avec fierté

Péniblemen

en sortant de l'hôpital,
le malade marche péniblement

Silencieusement

les frères Rapetou
s'en vont
à pas de loup
avec leur butin

144

Simplet s'assied
nonchalamment
pour lire
le journal

Dormeur
traîne les pieds paresseusement

Paresseusement

la princesse descend
élégamment l'escalier

Élégamment

la crécelle est bruyante

les neveux de Donald
sautent bruyamment
sur la grosse caisse

Atchoum souffle
bruyamment dans la trompette

Joyeux frappe
bruyamment les cymbales

les nains donnent
un concert bruyant

Bruyamment

Délicatement

le corbeau se pose avec précaution sur le pic pointu

conduits par Mowgli, nos amis marchent prudemment au bord du précipice

Chapelier fou boit délicatement son thé brûlant

147

le cheval galope
à bride abattue

Lentement ... vite

le taureau fonce

Bibi-Lapin court à toute vitesse

le pingouin allonge le pas

l'ours Boniface
va aussi vite
qu'il peut

Sepetto,
chargé de paquets,
n'avance pas vite

Jiminy Criquet peint
sans se presser

Pinocchio
flâne

l'escargot
avance lentement

la tortue
se traîne
cahin-caha

148

la chenille rampe paresseusement

les éléphants avancent pesamment . . .

. . .ils portent de lourds fardeaux

Baloo marche lourdement

Lourdement . . .

la fée Clochette est aérienne

Daisy sautille d'un air dégagé

légèrement

Minnie danse avec légèreté

149

A grands pas

une procession
avance à grands pas

le Lièvre de Mars
arpente
la pelouse

Dingo, Donald
et Pinocchio
défilent
au pas cadencé

150

Avec affection

Donald fait l'important
derrière elle

Fifi et Riri font les clowns

Daisy s'avance
d'un air hautain

deux petits écureuils
font des mines

153

TROUVER L'ERREUR

A

B

E

F

Solution: A Tic et Tac ont une petite queue — B les deux jambes de Pinocchio doivent être carrées — C Donald ne porte pas de guêtres — D Mickey a seulement deux neveux, Jojo et Michou — E Dumbo n'a pas de défenses — F Dingo n'a pas de collier — G Simplet n'a pas de barbe

De quoi est-ce fait?

une armure de métal

une cotte de maille en acier

une casquette de drap

un tricot de laine

un col de coton empesé

une veste de tweed

un pantalon de flanelle

un pantalon de velours côtelé

des chaussures de cuir

des chaussettes de laine

154

Métal . . . laine . . . velours

un voile de gaze

un collier d'or

un manteau de velours

un habit de brocart

une robe de satin

un jupon de dentelle

des bas de soie

des bas de soie

Plastique . . . cuir . . . fourrure

un chapeau
de feutre

une doublure
en mouton

des gants
de cuir

un blouson
de cuir

une doublure
de laine

un imperméable
en plastique

une gabardine

des bas de nylon

des souliers de daim

des chaussures
de cuir

une veste
en mouton retourné

un manteau
de fourrure

un sac
en grosse toile

un sac
en crocodile

157

Coton . . . caoutchouc

un ruban
fantaisie

une robe
de vichy
à carreaux

une nappe
en coton

une toile de tente

des sous-vêtements en flanelle

un blue-jean

une serviette éponge

des bottes de caoutchouc

un maillot en jersey